LES PETITS CAH

Collection dirigée par Jean-Luc C

G000146811

Mes premiers jeux de mots et d'orthographe

6-7 ANS

Magdalena Guirao-Jullien

Illustrations de Loïc Méhée

RETZ

www.editions-retz.com

9 bis, rue Abel Hovelacque

75013 Paris

Sommaire

Vocabulaire

© Retz, 2009, pour la première édition.
© Retz, 2013, pour la présente édition.
ISBN : 978-2-7256-3255-1

Orthographe

Jeux de mots

Dans le dictionnaire

Dans le dictionnaire, les mots sont rangés par ordre alphabétique, de A à Z.

1 Voici l'alphabet :

A B C D E F G H I J K L M N O P Q R S T U V W X Y Z

Entoure les groupes de lettres rangées dans l'ordre alphabétique.

A B C   T U R   X Y Z   L O P   I J K

2 Numérote les prénoms dans l'ordre alphabétique.

Bob   Yuan   Alice   Zoé   Marie   Hector

◯   ◯   ◯   ◯   ◯   ◯

3 Relie les noms des pays dans l'ordre alphabétique.

Roumanie

Espagne

Turquie

Allemagne

Italie

Zambie

4 Écris les noms des enseignes dans l'ordre alphabétique :

coiffeur – pharmacie – boulangerie –
librairie – supermarché – mairie

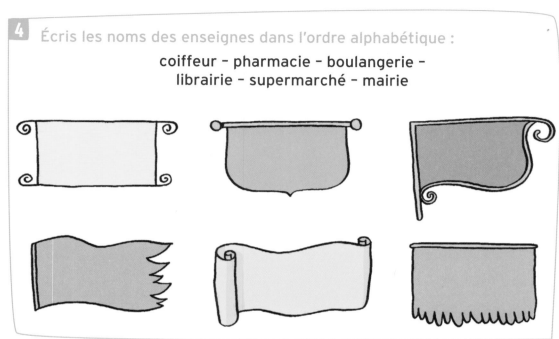

5 Écris le nom des fleurs dans l'ordre alphabétique, puis dessine-les dans chaque pot.

rosetulipemargueritecoquelicot

. . . .

Les mots dans le dico

1 Cherche et écris le premier et le dernier mot de ton dictionnaire.

A . . . .   Z . . . .

2 **Écris** les mots de ton choix trouvés dans le dictionnaire.

A comme . . . .

B comme . . . .

C comme . . . .

D comme . . . .

3 Cherche dans le dictionnaire et écris :

- un nom de fleur commençant par **ma** :

. . . .

- un nom d'animal commençant par **zé** :

. . . .

- un nom d'objet commençant par **tr** :

. . . .

- un nom de métier commençant par **po** :

. . . .

4 Relie les définitions aux mots illustrés et complète le nom.

Construction qui flotte
et sert à naviguer.

a _ _ _ _ _ _ _ _

Véhicule à 2 roues
avec des pédales.

a _ _ _ _

Appareil avec des ailes
et un moteur, capable de
se déplacer dans les airs.

b _ _ _ _ _

Véhicule à moteur ayant
4 roues et un volant.

b _ _ _ _ _ _ _ _

5 Recopie les noms des couleurs dans l'ordre alphabétique.

mauve . . . .

rouge . . . .

bleu . . . .

jaune . . . .

vert . . . .

orange . . . .

marron . . . .

violet . . . .

ocre . . . .

vermillon . . . .

rose . . . .

blanc . . . .

Au contraire !

1 Sous chaque dessin, écris le contraire de ce que tu vois.

○	●	noir
		blanc
....	....	
		dessus
		dessous
....	....	
		en bas
		en haut
....	....	
		derrière
		devant
....	....	
		petit
		grand
....	....	
		gros
		maigre
....	....	

2 Écris son contraire en face de chaque verbe.
Aide-toi de cette liste : **se coucher – vider – fermer – partir – se taire.**

ouvrir $\rightarrow$ ....

remplir $\rightarrow$ ....

parler $\rightarrow$ ....

se lever $\rightarrow$ ....

arriver $\rightarrow$ ....

3 Relie les adjectifs de sens contraire.

chaud •   • beau

tôt •   • froid

jeune •   • vieux

lourd •   • malheureux

laid •   • incorrect

heureux •   • léger

possible •   • tard

plein •   • faux

vrai •   • impossible

correct •   • vide

Le bon article

1 Entoure le déterminant qui convient devant chaque nom : le, la ou l'.

le
la arbre
l'

le
la île
l'

le
la maison
l'

le
la oiseau
l'

le
la usine
l'

le
la bateau
l'

2 Sépare le déterminant et le nom et ajoute l'apostrophe si nécessaire.

lours   *l'ours*

labeille   . . . .

lalune   . . . .

létoile   . . . .

lechat   . . . .

lorange   . . . .

3 Colorie les dessins des mots qui ont besoin d'un *l'*.

4 Devant chaque nom, écris le déterminant qui convient : *le, la* ou *l'*.

...... étable   ...... élève   ...... lait

...... ananas   ...... orage   ...... avion

...... lampe   ...... été   ...... lampion

5 Recopie la phrase en détachant les mots.

C'estl'heured'alleràl'école.

....

Petit, tout petit

1 Relie le nom à son diminutif, comme dans l'exemple.

une douche •   • une chansonnette

une chanson •   • une bûchette

une barbe •   • une fléchette

une bûche •   • une barbichette

une flèche •   • une douchette

2 Écris le diminutif de ces noms.

une fille   →   une ....

une fleur   →   une ....

un camion   →   une ....

une vache   →   une ....

un savon   →   une ....

une maison   →   une ....

3 À partir du diminutif, retrouve le nom.

une cordelette   →   une ....

une gouttelette   →   une ....

une poulette   →   une ....

une chemisette   →   une ....

un wagonnet   →   un ....

4 Vrai ou faux ? Colorie la bonne réponse.

Une lunette est une petite lune.   VRAI   FAUX

Une boulette est une petite boule.   VRAI   FAUX

Une marionnette est une petite marion.   VRAI   FAUX

Une hachette est une petite hache.   VRAI   FAUX

Une pendulette est une petite pendule.   VRAI   FAUX

Je te tiens, tu me tiens par la barbichette.
Le premier qui rira aura une tapette !

Tiens le menton de l'autre en chantant !

Quel petit mot ?

1 Complète les questions avec ces mots invariables :

Quand – Combien – Où – Qui – Que – Pourquoi

................est là ?   ....ça coûte ?

................veux – tu ?   ....tu pleures ?

................vas – tu ?   ....viens – tu ?

2 Écris à côté de chaque dessin le mot invariable qui convient :

sur - sous - dans - devant - derrière - à côté

 ....

 ....

 ....

 ....

 ....

 ....

3 Retrouve et écris les mots invariables de chaque bulle.

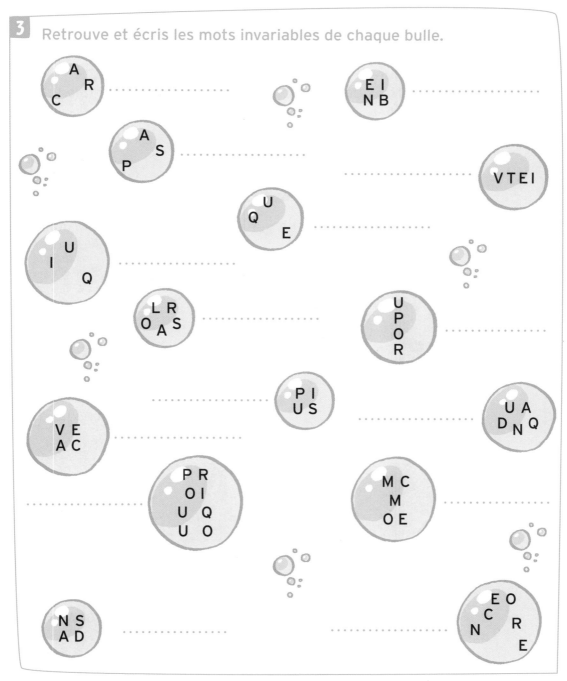

A R C ....

E I N B ....

A S P ....

.... V T E I

Q U E ....

I U Q ....

L R O A S ....

U P O R ....

.... P I U S

.... U A D N Q

V E A C ....

P R O I U Q U O ....

M C M O E ....

N S A D ....

.... E O C N R E

Les mots dans le dico

1 Écris sous chaque dessin un nom qui a presque le même sens que celui déjà donné. Aide-toi de cette liste de mots synonymes :

une voiture − un bébé − un bateau − une chaussure −
une marionnette − une bougie − un pirate − un marin − une maison

une habitation

....

un véhicule

....

un chérubin

....

un soulier

....

un pantin

....

un navigateur

....

une chandelle

....

un corsaire

....

une embarcation

....

2 Lis le texte et relie chaque mot ou groupe de mots entourés
à un synonyme, comme dans l'exemple.

voleur

Le brigand s'alimente   patates

de pommes de terre et

boit

se désaltère d'eau douce.

vêtements

perroquet   Il se chamaille avec

son ara et porte

se dispute   des habits troués.   mange

3 Légende l'image avec tous les mots synonymes de la double page.

En plus court !

1 Retrouve et entoure les abréviations dans les mots.

la géographie   les informations   la récréation

la publicité   l'automobile   le football

2 Relie les dessins aux mots et abréviations qui correspondent.

vélocipède •

• pull

motocyclette •

• dico

dictionnaire •

• moto

pull-over •

• métro

tramway •

• tram

métropolitain •

• vélo

À toute allure

Suis Bob dans ses déplacements et complète le texte avec à ou au.

Quelle journée !

Bob part de la [MAISON] ...... 9 heures.

Il va ...... la [GARE], ensuite il va ...... la [BIBLIOTHÈQUE] puis ......

[MUSÉE] ; il va voir un film ...... [CINÉMA] ...... 11 heures.

Il passe ...... la [MAIRIE] puis il va courir ...... [STADE] ; ...... midi,

il déjeune ...... [RESTAURANT], il va se promener ...... jardin public,

il va nager ...... la [PISCINE], il passe ...... [GYMNASE] voir ses amis

et arrive enfin ...... la maison ...... 17 h. Ouf !

Compose des mots

1 Relie les mots deux à deux puis écris le mot ainsi composé
(n'oublie pas le tiret !).

pique •   • volant   →   ....

grand •   • pong   →   ....

cerf •   • nique   →   *pique-nique*

grille •   • ongles   →   ....

ping •   • pain   →   ....

coupe •   • mère   →   ....

2 Retrouve et écris sous chaque dessin le mot composé qui convient.

machineàécrirefildeferarc-en-cielmachineàcoudrepommedeterretire-bouchon

....

....

....

....

....

....

3 Écris la réponse aux devinettes en t'aidant de la liste.

le lave-vaisselle – le porte-monnaie – le sèche-linge –
la station-service – le porte-clés

On y fait le plein d'essence. ....

On y accroche les clés. ....

On y fait sécher le linge. ....

On y range l'argent. ....

On y lave la vaisselle. ....

4 Écris sous chaque dessin le mot composé que tu as formé
à l'aide des mots de la liste.

chauve – taille – tête – marque – sèche – souris – maillot –
crayon – page – serre – cheveux – de bain

– ....

– ....

– ....

– ....

– ....

....

Un mot, des sens !

1 Retrouve et écris le mot qui correspond aux deux dessins.

boutonchaussonlettresouris

....

....

....

....

2 Qui suis-je ?

On le met dans la cheminée.
Il pousse sur la tête des cerfs.

On se regarde dedans le matin.
On la mange sur un cornet.

On l'allume et on l'éteint.
Quand les chaussures font mal, on en a une.

On la ramasse sur les rochers à la plage.
On y fait cuire les gâteaux.

Réponses : BOIS - GLACE - AMPOULE - MOULE.

22

3 Lis les phrases de la colonne de gauche.
Puis complète chaque phrase de la colonne de droite avec le mot bleu qui convient.

J'ai cassé la **mine**
de mon crayon.

L'........... de mon immeuble
a été repeinte en jaune.

J'ai eu de bonnes **notes**
à l'école.

Le soleil donne
bonne ....

En **entrée**, j'ai mangé
des crudités.

J'adore la ....
au chocolat !

Sous les arbres, j'ai ramassé
de la **mousse**.

Dans la gamme, il y a
sept .... de musique.

4 Relie chaque mot en rouge aux deux phrases qui lui correspondent.

Un sirop, c'est...

• un médicament contre la toux.

• un alcool de cire.

• un liquide sucré et parfumé qui se boit dilué dans de l'eau.

Une pile, c'est...

• une montagne d'objets posés les uns sur les autres.

• un objet qui se met dans une lampe de poche pour la faire fonctionner.

• une peau épilée.

Des mots cousins, cousines (1)

1 Entoure sous chaque dessin le mot de la même famille que celui qui est encadré.

l'horloge	un patin	le lait	une dent

l'hortensia   une pâtisserie   la laideur   la danse

l'horloger   le patinage   un laitage   le dentifrice

2 Écris un mot de la même famille que celui qui est illlustré.
Aide-toi de la liste.

un pommier – le vent – le feuillage – un chausson –
un cerisier – un poirier

un éventail   ....

une pomme   ....

une chaussure   ....

une poire   ....

une feuille   ....

une cerise   ....

3 Dans chaque liste, barre le mot qui n'est pas de la même famille que le mot entouré.

(danse)   danser – dans – danseur – danseuse

(plonger)   plongeur – plongeon – plombier – plongeoir

(magie)   magique – magnolia – magicienne – magicien

(jardin)   jardinier – jardinage – jardiner – jaune

(chant)   champ – chanson – chanteur – chanteuse

(cuisine)   cuisiner – cuisson – cuisinière – cuivre

4 Relie les mots de la même famille.

chant •   • dessiner •   • peintre

catch •   • garer •   • dessinateur

ski •   • peindre •   • chanteuse

dessin •   • catcher •   • vendeuse

vente •   • skier •   • catcheur

garage •   • vendre •   • garagiste

peinture •   • chanter •   • skieur

Des mots cousins, cousines (2)

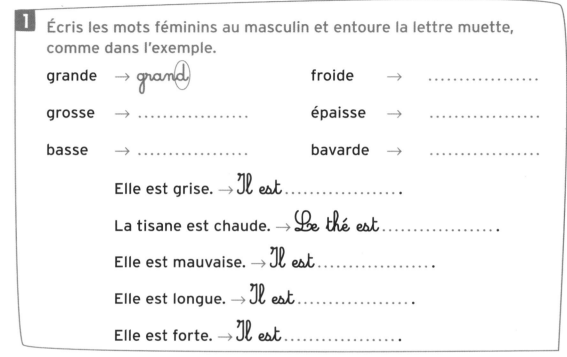

1 Écris les mots féminins au masculin et entoure la lettre muette, comme dans l'exemple.

grande → *grand* (d)

grosse → ....

basse → ....

froide → ....

épaisse → ....

bavarde → ....

Elle est grise. → *Il est* ....

La tisane est chaude. → *Le thé est* ....

Elle est mauvaise. → *Il est* ....

Elle est longue. → *Il est* ....

Elle est forte. → *Il est* ....

2 Retrouve le petit mot dans le grand. Entoure-le et écris-le, comme dans l'exemple.

le (dent)iste → *la dent*

le laitier → *le* ....

la toiture → *le* ....

le chaton → *le* ....

le plateau → *le* ....

le bijoutier → *le* ....

3 Écris sous chaque dessin l'adjectif qui convient, au féminin et au masculin. Aide-toi de la liste.

lente − forte − haute − ouverte

Elle est ...., il est ....   Elle est ...., il est ....

Elle est ...., il est ....   Elle est ...., il est ....

4 Relie les phrases au féminin avec les phrases au masculin et écris la lettre oubliée.

Elle est verte.　　•　　　　•　*Il est viole*....

Elle est violette.　•　　　　•　*Il est mue*....

Elle est blanche.　•　　　　•　*Il est ver*....

Elle est muette.　•　　　　•　*Il est pla*....

Elle est sotte.　　•　　　　•　*Il est so*....

Elle est plate.　　•　　　　•　*Il est blan*....

Les mots d'amour

1 Colorie en rose les cœurs qui portent des mots en lien
avec l'amour.

taper

cœur

tendresse

adorer

haïr

cupidon

étoile

aimer

draguer

détester

amoureux

affection

embrasser

chérir

tuer

câliner

enlacer

passion

violence

odieux

manger

amour

charmer

colère

j'aime

Dans les cœurs vides, écris des petits mots d'amour à toi.

2 Copie les mots et expressions qui parlent d'amour
dans la bonne colonne.

la séparation − la déclaration d'amour

la Saint-Valentin − le divorce

le mariage − tomber amoureux

le coup de cœur − le coup de foudre

la peine d'amour − être fou d'amour

le chagrin d'amour − avoir le cœur qui bat

Le savais-tu ?

Avoir un cœur d'artichaut,
c'est tomber souvent amoureux !

Aigu, grave ou circonflexe ?

1 Relie les mots jumeaux et écris les accents oubliés.

manège	epee
écureuil	pecheur
pêcheur	velo
vélo	ecureuil
rivière	elephant
élève	manege
épée	eleve
éléphant	riviere

2 Entoure le mot qui correspond à chaque dessin.

chapeau
château

flèche
flûte

terre
tête

fenêtre
fermette

fourmi
forêt

arête
armoire

3 Écris sous chaque montgolfière le mot illustré.

....

....

4 Écris les mots dans la colonne du tableau qui convient.

bête – école – mère – père – étoile – fête

é	è	ê
....	....	....
....	....	....

La bonne orthographe

1 Retrouve et écris le mot qui convient sous chaque dessin.

lampion − tambour − trompette − lampe − pantin

. . . .

2 Complète les mots.

Pour écrire le son [ã] devant un p ou un b, j'écris am
Exemple : ampoule.
Pour écrire le son [õ] devant un p ou un b, j'écris om
Exemple : ombrelle.

ch…pignon

an / am

t…bre

im / in

p…pier

on / om

c…c…bre

on / om

…bre

om / on

tr…pette

on / om

3 Complète les phrases à l'aide des mots ci-dessous.

tambour   *chambre*   *ambulance*   *trompette*

lampadaire   *ampoule*   *lampe*   *pompiers*

Léon allume la . . . . de sa . . . .

L' . . . . du . . . . clignote.

L' . . . . roule derrière les . . . .

Il joue du . . . . et de la . . . .

4 Relie les mots coupés en deux.

ten		pagne
tem		te
can		tine
cam		pérature

bom		bon
bon		pion
lan		be
lam		terne

Des verbes dans le ciel

1 Relie chaque verbe conjugué au pronom (cases rouges) qui lui correspond.

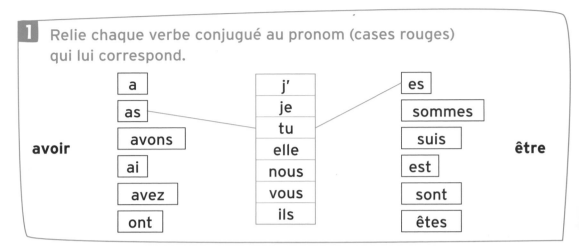

avoir

a	j'	es
as	je	sommes
avons	tu	suis
ai	elle	est
avez	nous	sont
ont	vous	êtes
	ils	

être

2 Écris dans chaque nuage le pronom qui convient.

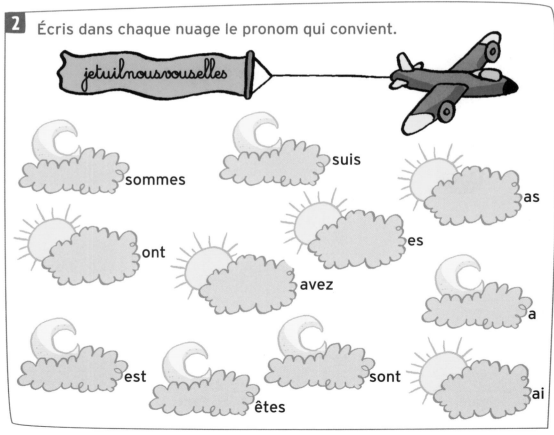

jetuilnousvouselles

sommes
suis
as
ont
es
avez
a
est
sont
êtes
ai

3 Complète la grille de mots croisés avec les formes conjuguées des verbes être et avoir.

être

- **A** je ...
- **B** tu ...
- **C** il ...
- **D** nous ...
- **E** vous ...
- **F** ils ...   6 ils ...

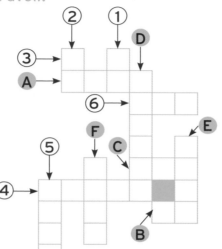

avoir

- ① j' ...
- ② tu ...
- ③ il ...
- ④ nous ...
- ⑤ vous ...
- ⑥ ils ...

4 Relie les dessins aux phrases et complète avec avoir ou être conjugués.

J' .... un chien.
Je .... un garçon.

Elle .... frisée.
Elle .... des lunettes.

Ils .... gros.
Ils .... des chapeaux.

Nous .... vieux.
Nous .... une canne.

Un ou une ?

1 Écris *un* ou *une* devant chaque mot.

.... musée   .... hôpital   .... école   .... mairie

.... parking   .... gare   .... parc   .... église

2 Écris le féminin ou le masculin de chaque mot. Aide-toi de la liste.

nièce − oncle − frère − mère − garçon − cousine

un père → *une* ....   *un* .... → une sœur

un .... → une tante   un cousin → *une* ....

un neveu → *une* ....   *un* .... → une fille

3 Écris les noms de chaque couple. Aide-toi de la liste.

grand-père − sorcier − indien − roi −
sorcière − indienne − grand-mère − reine

un .... *et une* ....   *un* .... *et une* ....

un ....

un .... *et une* ....   *et une* ....

4 Dessine le symbole de chaque nom masculin devant son féminin.

◎	un âne	☐	une ourse
○	un chien	☐	une lionne
▪	un chat	☐	une ânesse
•	un lion	☐	une chatte
❀	un ours	☐	une chienne
☀	un tigre	☐	une tigresse

5 Choisis et relie le nom masculin à son féminin,
comme dans l'exemple.

écolier •
• école
• écolière

paysan •
• paysage
• paysanne

voisin •
• voisinage
• voisine

musicien •
• musicienne
• musique

directeur •
• direction
• directrice

marchand •
• marchandise
• marchande

chanteur •
• chanteuse
• chanson

docteur •
• doctorat
• doctoresse

Monsieur ou madame ?

1 Qui parle ? Dessine la tête d'une fille ou d'un garçon devant chaque phrase.

Je suis jalouse.   Je suis chanceuse.

Je suis surpris.   Je suis douce.

Je suis inquiet.   Je suis coléreux.

2 Écris les adjectifs (en bleu) au féminin.

Je suis **content**.   Je suis ....

Je suis **amoureux**.   Je suis ....

Je suis **gentil**.   Je suis ....

Je suis **mignon**.   Je suis ....

Je suis **joyeux**.   Je suis ....

Je suis **fâché**.   Je suis ....

À plusieurs !

1 Au pluriel, les noms prennent un s.

Écris *un, une* ou *des* devant chaque nom en fonction de la fin du mot.

..... livre ..... arbre ..... nuages ..... garçon

..... maison ..... fleurs ..... lune ..... papillons

2 Attention : les noms terminés par X, Z, ou S au singulier
ne changent pas au pluriel !

Entoure le ou les déterminants qui conviennent pour chaque nom.

(le)   radis   le   pommes   le   riz   le   fraises
(les)   les   les   les

le   souris   le   poires   la   noix   le   cerises
les   les   les   les

3 Écris ces noms au pluriel.

un fruit   un tapis

des ....   des ....

un fauteuil   un nez

des ....   des ....

un lit   une voix

des ....   des ....

Bijou, caillou, chou

Le pluriel des noms en **OU** s'écrit **OUS** sauf pour des bijoux,
des hiboux, des cailloux, des genoux, des choux, des joujoux, des poux.

Le pluriel des noms en **EU** s'écrit **EUX** sauf pour des pneus et des bleus.

1 Écris la terminaison de ces noms au pluriel.

des chou....   des verrou....   des kangourou....   des cheveu....

des clou....   des pneu....   des feu....   des hibou....

2 Écris les noms au pluriel.

un neveu

→ des ....

un trou

→ des ....

un fou

→ des ....

un genou

→ des ....

un bleu

→ des ....

un sou

→ des ....

un jeu

→ des ....

un creu

→ des ....

Et si on allait au bal ?

Le pluriel des noms en **AL** s'écrit **AUX**
sauf pour des chacals, des bals et des carnavals.

1 Écris ces noms au pluriel.

un cheval   un journal   un hôpital   un bocal

des ....   des ....   des ....   des ....

2 Dans chaque liste, barre l'intrus.

animaux − chameau − journaux − chevaux

bocaux − généraux − hôpitaux − gâteau

3 Écris la fin des noms au pluriel.

un chacal → des chac..... un métal → des mét......

un canal → des can...... un festival → des festiv......

un bal → des b...... un local → des loc......

un signal → des sign...... un amiral → des amir......

un carnaval → des carnav...... un récital → des récit......

41

Dans la maison

Fais une croix devant le mot quand tu as trouvé le dessin qui lui correspond et écris le numéro sur le dessin.

1 ☒ rideaux

2 ☐ lustre

3 ☐ lampadaire

4 ☐ armoire

5 ☐ valise

6 ☐ fauteuil

7 ☐ coffre

8 ☐ tableau

9 ☐ livres

10 ☐ vaisselier

11 ☐ canapé

12 ☐ chapeau

13 ☐ assiette

14 ☐ chaise

15 ☐ table

16 ☐ oreiller

17 ☐ commode

18 ☐ tapis

19 ☐ télévision

20 ☐ coussin

1 ☐ tiroir

2 ☐ torchon

3 ☐ tabouret

4 ☐ globe

5 ☐ porte

6 ☐ miroir

7 ☐ bateau

8 ☐ chat

9 ☐ robinet

10 ☐ pendule

11 ☐ baignoire

12 ☐ wc

13 ☐ serviette

14 ☐ brosse à dents

15 ☐ réfrigérateur

16 ☐ corbeille de fruits

17 ☐ four

18 ☐ cuisinière

19 ☐ évier

20 ☐ escalier

Les mots autour du livre

Écris les noms des dessins dans la grille et dans la bibliothèque.

Aide-toi de la liste : album – atlas – bande dessinée – bibliothèque –
dictionnaire – journal – lecteur – magazine – roman

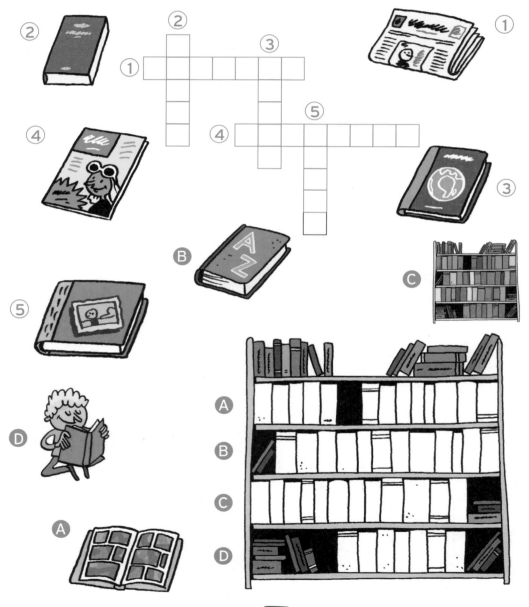

Les mots du courrier

Lis les textes, entoure les mots du thème du courrier
et écris-les sous les dessins qui correspondent.

Lola écrit une lettre à Louis.
Elle met la lettre dans une enveloppe
et colle un timbre.
Ensuite Lola va à la poste poster son
enveloppe dans une boîte aux lettres.

. . . .

. . . .

. . . .

Le facteur porte le courrier.
Louis a reçu une lettre de Lola.
Il est content car il a aussi un colis
de son grand-père et une carte postale de
sa tante.
Et devinez pourquoi ?
Parce que c'est son . . . .

. . . .

. . . .

. . . .

. . . .

. . . .

Les mots de la météo

1 Écris les noms sous les dessins.

i E S
L
O
L

A U N E G

P i L U E

N T E V

CRA-NE-iELC

G i E N E

C L A i R É

RO R U L L i A D B

T T E M Ê P E

2 Écris les mots des devinettes dans les nuages.

Pour connaître le temps qu'il fait,
on écoute la ... →

En été, il y a beaucoup de ... →

En hiver, il y a souvent de la ... →

Le vent souffle très fort quand c'est la ... →

Les mots des contes

Complète le conte en écrivant les noms au bon endroit.

Le .... et la .... ont
une fille, la belle .... Rosabelle.
Ils vivent dans un beau ....
dans la ....
La princesse est amoureuse
du ....
Mais la méchante .... a jeté
un sort au prince et l'a changé en
gros .... qui mange tout.
La princesse va voir
la gentille ....
Avec sa ....,
la fée change la méchante sorcière
en petit .... et retransforme
l' .... en prince charmant
avec une belle .... brillante.

baguette
magique

sorcière

fée

lutin

prince

épée

roi

reine

princesse

ogre

forêt

château

Les mots du corps

1 Complète le texte avec les noms sur la serviette.
Attention, il y a deux intrus !

Pour faire sa toilette, il faut se laver

de la .... aux ....

On commence par les ....
Il faut bien se laver

les .... et les .... ,

le .... et le .... ,

le .... et le .... ,

les .... et les .... ,

et recommencer chaque jour...

jambes

nez

dos

cou

oreilles

cheveux

pieds

tête

mains

visage

bras

ventre

yeux

2 Remplis la grille de mots croisés en t'aidant du dessin et des mots de la liste.

cheville – coude – cuisse – doigts – épaule – yeux – genou – orteils – bouche – poignet – ventre – cou

Des mots pour décrire

1 Réponds à chaque question à l'aide des mots de la spirale.

Combien je t'aime ?

Je t'aime ....

Quel temps fait-il ?

Il fait ....

Comment est-elle ?

Elle est ....

CHAUD, BON, À LA FOLIE, BEAU, PAS DU TOUT, FROID, GRANDE, BEAUCOUP, BELLE, JOLIE, BLONDE

2 Range ces mots qui décrivent les sentiments dans la colonne qui convient : joyeux – triste – content – heureux – enthousiaste – coléreux – jaloux – inquiet – amoureux – nerveux.

....

....

....

....

....

....

....

....

....

....

3 Décris chaque personnage avec les mots de ton choix.

Comment est cette sorcière ?
belle – laide – méchante – affreuse – jolie

La sorcière est ....

....

....

Comment est ce chien ?
sage – fidèle – gentil – féroce – poilu

Le chien est ....

....

....

Comment est la voiture ?
fleurie – solide – petite – neuve – grande –
noire – rapide

La voiture est ....

....

....

Comment est cette fée ?
Choisis les mots dans cette page.

....

....

....

Les mots des 5 sens

1 Écris chaque verbe dans la colonne qui convient.

entendre	écouter	voir	sentir
regarder	manger	goûter	respirer
toucher	caresser	effleurer	frôler
renifler	flairer	observer	apercevoir

2 Écris chaque verbe sous le dessin qui correspond.

sifflerrirechantercrierpleurerboudersouriredormir

La chambre de Léon

Regarde l'image et complète le texte avec les mots de la liste.
Colorie les dessins des noms que tu as écrits.

lampe

sac à dos

Léon

crayons

ours

réveil

rideaux

pantoufles

pot

vêtements

La chambre de ....

Devant la fenêtre, il y a des ....

Sur le sol, il y a des .... et un ....

Sur la chaise, il y a des ....

Sur le bureau, il y a un .... avec des .... dedans.

Sur la table de nuit, il y a une .... et un ....

Sur le lit, il y a l'................. de Léon.

Méli-mélo des mots

Remplace les mots encadrés par ceux de la liste pour rendre le texte moins bizarre !

Jour de pluie

J'avais mis mon [château] ....

sur ma [fête] .... J'avais

enfilé mon [mouton] ....

de [nuit] .... et pris

mon [paradis] .... pour

être à l'abri.

Comme il y avait beaucoup de [veau] ....

.... , mon chapeau s'envolait tout

le temps dans le [miel] ....

De grosses gouttes tombaient, je marchais dans

les [plaques] .... d'eau

et mes [pions] ....

étaient [rouillés] .... dans

mes [voitures] ....

J'étais très très en [tonnerre] ....

à cause du mauvais [flan] ....

flaques
manteau
colère
temps
chaussures
ciel
chapeau
pluie
parapluie
tête
vent
mouillés
pieds

54

Le bon mot !

---

1 Remplace les mots bleus par un des mots proposés sans changer le sens de la phrase.

Le soleil brille dans le ciel.

Le soleil .... *dans le ciel.* { resplendit
bâille

La lune luit dans la nuit.

La lune luit dans .... { le noir
le nid

Les bateaux naviguent sur l'eau.

Les .... *naviguent sur* .... { vélos
péniches
le fleuve
la route

La fille mange une pomme.

La fille .... *une pomme.* { nage
croque

---

2 Retrouve et écris les mots qui peuvent remplacer les mots bleus sans changer le sens du texte. Aide-toi de la liste.

Le paysage

C'est un **endroit calme**.

C'est un ....

Il y a des **montagnes** rondes et des **arbres** pointus.

Il y a des .... *rondes et des* .... *pointus.*

Cela sent l'air **frais**.

Cela sent l'air ....

On s'y **balade** sur des **sentiers** de terre.

On s'y .... *sur des* .... *de terre.*

collines
lieu
sapins
pur
chemins
promène
tranquille

Les proverbes

1 Entoure le bon mot pour retrouver le proverbe.

L'argent ne fait pas le
- beurre.
- bonheur.

Rien ne sert de courir, il faut partir à
- point.
- loin.

Après la pluie, le beau
- vent.
- temps.

La nuit porte
- conseil.
- merveille.

Une hirondelle ne fait pas
- le printemps.
- l'été.

2 Complète avec les mots de la liste pour retrouver les quatre proverbes.

chasse – pique – bœuf – envie – place –
comptes – œuf – amis – frotte – pitié

Qui va à la ...., perd sa ....

Qui s'y ...., s'y ....

Il vaut mieux faire ...., que ....

Les bons .... font les bons ....

Qui vole un .... vole un ....

3 Numérote de la même façon les phrases qui ont le même sens.

1 L'habit ne fait pas le moine.

2 Chose promise chose due.

3 Qui ne tente rien n'a rien.

4 Qui se ressemble s'assemble.

5 Toute vérité n'est pas bonne à dire.

On est obligé de faire ce que l'on a promis.

Il n'est pas toujours bon de dire la vérité.

Si on ne prend pas de risque, on ne gagne jamais.

Il ne faut pas juger les gens sur les apparences.

Les gens qui vont ensemble sont souvent les mêmes.

4 Illustre ce proverbe tiré d'une fable.

Rien ne sert de courir, il faut partir à point.
(Jean de la Fontaine, *Le lièvre et la tortue.*)

Les expressions

1 Écris les mots dans l'ordre pour retrouver les expressions.
Numérote de la même façon l'expression et la phrase qui ont
le même sens.

(1) l'œil de tourner

....

(2) tirer faire se oreilles les

....

(3) tête l'air être en

....

(4) poil dans la avoir main un

....

(5) cheveux les s'arracher

....

(6) se lever gauche pied du

....

◯ être paresseux   ◯ se faire gronder

◯ s'évanouir   ◯ être distrait, étourdi

◯ être de mauvaise humeur   ◯ s'énerver

2 Complète les expressions avec l'animal qui convient.

Marcher à pas de ....

Donner sa langue au ....

Être frisé comme un ....

Être sale comme un ....

Être têtu comme un ....

chat   loup   mouton   âne   cochon

3 Écris la signification de chaque expression.

Avoir un cheveu sur la langue

c'est ....

Casser les pieds

c'est ....

Piquer du nez

c'est ....

Se jeter dans la gueule du loup

c'est ....

zozoter

embêter   s'endormir

tomber dans un piège

Des chiffres et des lettres (1)

1 Écris les nombres en lettres. Attention : trois d'entre eux s'écrivent avec deux mots et un tiret.

10 . . . .   14 . . . .   18 . . . .

11 . . . .   15 . . . .   19 . . . .

12 . . . .   16 . . . .   20 . . . .

13 . . . .   17 . . . .

2 Relie les nombres en noir du plus petit au plus grand. Fais de même avec les nombres écrits en lettres.

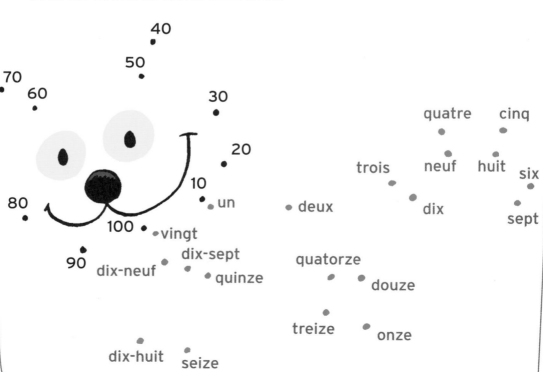

Des chiffres et des lettres (2)

1 Relie les nombres en chiffres aux nombres en lettres.

trois cent trente-trois •　　　　　• 111

quatre cent quarante-quatre •　　　　　• 222

cent onze •　　　　　• 333

deux cent vingt-deux •　　　　　• 444

cinq cent cinquante-cinq •　　　　　• 555

2 Écris en chiffres et en lettres trois nombres que tu peux inventer en associant les chiffres dans les ronds.

3　3　6

....

....

....

7　9　8

....

....

....

3 Lis et écris en lettres ou en chiffres.

999 ....

sept cent dix ....

860 ....

sept cent soixante-dix ....

Récréation !

1 Écris dans chaque étiquette le mot qui correspond à la définition.

étoiles - terre - lune - soleil

Il nous éclaire le jour.

Elle tourne autour du soleil.

Elle peut prendre la forme d'un croissant.

Elles brillent dans le ciel.

2 Complète les comptines.

♪♪1, 2, 3 nous irons au . . . .

Une . . . . sur un . . . . qui picore du . . . . dur. ♪♪

♪♪ Une souris verte qui courait dans l'. . . . .

Il était un petit . . . . qui n'avait jamais jamais . . . . Ohé Ohé ! ♪♪

♪♪ Voici ma . . . . ; elle a 5 . . . .

doigts

pain

bois

poule

navire

main

mur

herbe

navigué

Jeux de mots

1 Remplis le tableau avec les mots du camion.

	Fruit	Animal	Objet	Pays	Prénom
A					
F					
P					
R					

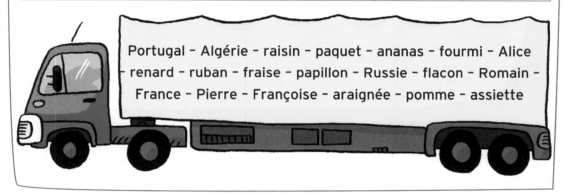

Portugal – Algérie – raisin – paquet – ananas – fourmi – Alice – renard – ruban – fraise – papillon – Russie – flacon – Romain – France – Pierre – Françoise – araignée – pomme – assiette

2 Regarde bien les mots dans chaque main.
Cache une main avec ta main, redis de mémoire les mots et épelle-les.

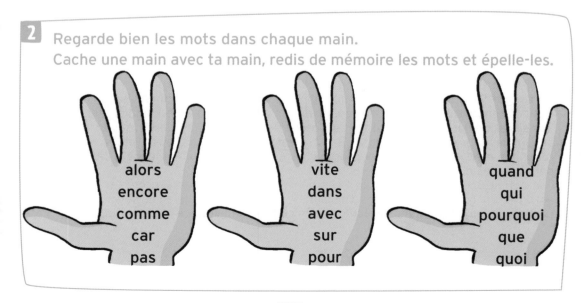

alors
encore
comme
car
pas

vite
dans
avec
sur
pour

quand
qui
pourquoi
que
quoi

Mes premiers jeux de mots et d'orthographe

Présentation

À 6-7 ans, le développement du langage oral et écrit ne peut s'opérer correctement que si l'enfant possède ou acquiert une compréhension précise des mots entendus, lus ou utilisés oralement.

Il est donc nécessaire que l'enfant enrichisse son vocabulaire et comprenne le sens des mots selon le contexte dans lequel ils sont employés. Il faut aussi que l'enfant apprenne à orthographier et à observer la construction du mot écrit, ce qui favorise :

• la capacité à écrire correctement d'autres mots proches et à appliquer certaines règles d'orthographe grammaticale comme celles du féminin ou du pluriel ;

• la compréhension même du mot, par exemple en référence à d'autres mots de la même famille.

Ce Petit Cahier a pour objectif de permettre à l'enfant d'augmenter son « stock » lexical et d'améliorer sa connaissance des mots dans un contexte, que se soit au niveau du sens ou de la façon dont ils s'orthographient. Dans des situations ludiques et variées sont abordés :

• les différents sens des mots ;
• les mots de même sens ou de sens contraire ;
• les mots d'une même famille, les diminutifs, les abréviations ;
• les expressions, les proverbes ;
• les mots invariables ;
• l'utilisation du déterminant correspondant à une situation ;
• l'accord des noms et des adjectifs ;
• l'orthographe des nombrés.

Conseils d'utilisation

Ce Petit Cahier peut être utilisé de façon linéaire ou thématique.

Même si l'enfant prend beaucoup de plaisir à effectuer les exercices proposés, il est préférable qu'il s'entraîne sur une page ou deux au maximum à chaque séance, mais de façon régulière.

Vérifiez la bonne compréhension des consignes. Si l'enfant se trouve en situation de blocage, n'hésitez pas à lui donner un indice ou une piste de réflexion pour lui permettre de réaliser l'exercice ou encore une aide appropriée pour l'aider à lire un mot.

En cas de lassitude ou de réelle difficulté, laissez momentanément le cahier de côté. Vous le reprendrez plus tard en repartant des dernières réussites de l'enfant.

Les situations proposées sont très efficaces pour que l'enfant améliore son vocabulaire et son orthographe. Cependant, il est nécessaire qu'il soit aussi placé en situation régulière d'échanges langagiers, oraux ou écrits, et qu'il commence à fréquenter de petits textes divers et variés.

Les activités proposées dans ce Petit cahier ont été testées auprès d'enfants qui ont éprouvé un grand plaisir à les réaliser. Il est important qu'elles soient considérées comme un jeu à faire avec l'enfant, et non comme un exercice obligatoire.

Direction éditoriale : Sylvie Cuchin
Édition : Céline Lorcher
Mise en page : Laser Graphie
N° de projet : 10199542 – Dépôt légal : janvier 2014 - N° d'impression - 312041
Achevé d'imprimer en France en janvier 2014 sur les presses de la Nouvelle Imprimerie Laballery